손해사정사
시험 제도와 보수 개선방안

머 리 말

본 서는 저자가 2019년도 한국보험학회 정책세미나 정책연구과제 공모에 제안하여 채택된 2019년 6월 29일 제출 제안서 〈손해사정사 시험제도 개정〉과 〈손해사정사 보수기준 개정〉을 바탕으로 2019. 10. 3일 작성한 초안 및 2019. 10. 15일 수정안으로 2019. 11. 8일 한국보험학회 정책세미나 〈손해사정제도 개선방안〉 최종 논문에 자료 일부만 수록되어서 전체 연구안을 공개하여 출간하며 향후 이 책이 손해사정사 시험제도와 손해사정사 보수 개정에 대한 연구자료로 활용되기를 바랍니다.

그리고 본 서는 2019년 연구 당시 오롯이 본 저자가 수집한 자료를 바탕으로 저자의 아이디어와 사견으로만 작성한 것으로 2019년도 한국보험학회 정책세미나 〈손해사정제도 개선방안〉 공동저자와 협의하여 제출된 최종 논문과 일부 내용이 상이하니 연구에 참고하시기 바랍니다.

저자 신영순

- 목 차 -

- 표 목차 -

〈서 언〉 연구의 필요성 및 목적

우리나라에 손해사정사 자격제도가 도입된 것은 1977년말 보험업법이 전면 개정[1]되면서 비롯되어 1978년 보험업법에 의해 제1회 손해사정사 자격제도가 도입되어 시행되었고 1종 화재・특종보험, 2종 해상보험, 3종 자동차보험으로 보험업종별로 구분되어 시행되다가 자동차보험 업무가 많아지면서 자동차 대인 손해사정사와 대물 손해사정사로 구분되었었다.

이후 2004년 제4종 손해사정사 제도가 신설되어 시행되다가 2011년 보험업법 시행규칙을 개정[2]하여 손해사정사의 종류를 2014년부터 재물, 차량, 신체, 종합손해사정사로 변경하여 2014. 1.1.부터 시행되었다.[3]

본 연구자는 2003년 7월 14일경 제 4종 손해사정사 제도 도입에 따른 보험업법 시행령이 개정된다는 시행안 공고를 보고 손해사정사 시험제도 개선을 담은 의견서를 그때 당시 시행안을 공시한 재정경제부 금융정책국 보험제도과와 손해사정사회에 제시한 적이 있었습니다. 즉, 제4종 손해사정사 신설보다는 인(人) 손

1) 김창영, 「손해사정사 시험제도 개선에 관한 연구」, 목원대학교 석사학위 논문, 2017, 3면.
2) 총리령 제 948호, 2011. 1. 24. 일부개정.
3) 김창영, 앞의 논문, 5면.

해사정사와 물(物) 손해사정사로 양분해야 된다는 의견이었읍니다.

저자는 그 당시 세상을 이분법적으로 인간과 사물이라는 관점에서 보았을 때 손해사고는 사람과 재물에 대한 손해사정으로 양분되므로 인(人) 손해사정사와 물(物) 손해사정사로 대별하여 제3보험 4종 손해사정사 도입 시행은 반대하며 1종, 2종, 3종 업무영역에 따른 종별 손해사정사 시험제도를 통합하여 양분해야 된다고 의견 제시한 적이 있으나 반영되지 않았습니다.

그러던 중 2004년 보험업법 개정에 따라 4종 손해사정사 제도가 시행되어 오다가 2014년 손해사정사 시험제도는 재물, 차량, 신체, 종합 손해사정사로 구분되어 현재 시행되고 있습니다.

손해사정사는 통합하여 인 손해사정사와 물 손해사정사로 양분되어야 된다고 주장했던 본 연구자는 이후 2014년 4월 세월호 사고 및 2015년 1월 의정부 아파트 화재사고, 2017년 11월 포항 지진사고, 2017년 12월 제천 스포츠센터 화재사고, 2019년 4월 강원도 속초 산불화재 사고와 같은 국가재난사고가 발생하고, 2016년 5월 구의역 스크린도어 사망사고, 2018년 12월 충남태안 발전소의 컨베이어벨트 김용균군 사망사고와 같은 안전의식이 부족한 산재사고도 최근 다발하고 금융사고까지 포함하는 다양한 형태의 복합 보험상품이 개발되어 출시되면서 손해사정의 업무영역은 폭넓게 확장되고 있으므로 이에 다각적인 접근법으로 손해사정업무를 해야 할 필요성이 있음을 느끼었습니다.

또한 급격한 정치·사회·경제적 변화와 인구의 고령화 시대가 도래하고 4차 산업혁명에 따라 산업이 급변하면서 구세대의 직업이 소멸하고 신 직업이 생성되는 과도기에 업무영역별 구분되어지는 손해사정사가 무의미하므로 현행 손해사정사 제도를 재물, 차량, 신체 손해사정사 구분 없이 단일 손해사정사로 통합해야 된다는 시대적 필요성이 있다고 사료되어 손해사정사 시험제도 개정을 제안합니다.

아울러 손해사정사와 유사한 직업으로 시험 시행기관에 따라 다른 손해평가사, 보험조사 분석사 등 자격증을 손해사정사 자격증으로 흡수 통합하여 1차 시험에 관련 업무 종사자 5년 근무시 1차 시험면제 또는 관련 자격증 소지자에 대하여는 손해사정사 자격증으로 통일하여 손해사정업무를 통합한 손해사정사가 해야 된다고 사료됩니다.

왜냐하면 앞서 서술한 대로 시대변화에 따라 산업이 다양하고 복합해지면서 보험상품도 영역구별이 어렵고 사고가 복잡하고 복합적으로 발생되고 있어 모든 인적·물적 보상업무를 위한 사고와 관련된 신속한 손해조사와 복구 및 피해당사자들의 신체적·정신적 빠른 회복을 위해서 손해사정사 시험제도를 개정하고 이에 발맞춰 손해사정 보수기준도 현실화하여 단일화할 경제적 필요성이 있다고 사료됩니다.

저자는 이 연구가 손해사정사를 준비하는 또한 손해사정사 업무를 했던 경력자들 그리고 미래세대를 위해 글로벌한 시대에 한국의 인재가 세계로 나아갈 수 있는 디딤돌이 되는 자격증으로 발전하게 되길 염원하며 연구를 시작하게 되었습니다.

1. 손해사정 시험제도의 시행시기 및 관련법과 업무

손해사정사 제도는 1978년 보험업법 개정에 의해 처음 실시되어 아래 5. 바항 도해와 같이 변천되어 왔으며 손해사정사의 업무는 다음과 같습니다.

보험업법 제 188조(손해사정사 등의 업무) 손해사정사 또는 손해사정업자의 업무는 다음 각 호와 같다. 1. 손해발생 사실의 확인 1. 보험약관 및 관계 법규 적용의 적정성 판단 1. 손해액 및 보험금의 사정 1. 제1호부터 제3호까지의 업무와 관련된 서류의 작성.제출의 대행 1. 제1호부터 제3호까지의 업무 수행과 관련된 보험회사에 대한 의견의 진술(전문개정 2010. 7. 23)

2. 손해사정업무 종사자 수

2013년 11월말 기준 손해사정업무 종사자는 총 27,984명이며 그 중 손해사정사는 5,274명이고 업무보조인은 22,800명입니다. 고용 손해사정사는 2,987명, 보험회사 위탁 손해사정사는 1,480명, 소비자 독립 손해사정사는 807명입니다.[4]

4) 김창영, 「손해사정사 시험제도 개선에 관한 연구」, 목원대학교 석사학위 논문, 2017. 30면.

3. 종별 손해사정사 합격자수

1978년도부터 2013년까지 손해사정사 합격자는 총 8,047명으로 그 중 제1종 921명, 제2종 297명, 제3종 대물 2,647명, 제3종 대인 3,311명, 제 4종 871명 이고, 2014년부터 2017년 10월말까지의 분야별 손해사정사 합격자는 총 2,563명으로 그 중 재물 209명, 차량 411명, 신체 1,943명입니다.[5)]

4. 손해사정사 등록인원

2017년 10월말 기준 손해사정사 등록인원은 총 10,031명입니다.[6)]

5. 손해사정사 시험제도의 개선안

가. 문제점 제기 및 통합의 필요성

저는 2003년 7월 14일 재정경제부와 손해사정사회에 제4종 손해사정사 도입을 반대하며 인(人) 손해사정사와 물(物) 손해사정사로 양분하자고 하였습니다. 그의 근거는 세상은 사람과 자연으로 형성되었으므로 보험업무 영역에 따른 종별 손해사정사 구

5) 김창영, 앞의 논문 25면~27면.
6) 김창영, 앞의 논문, 28면.

분은 세상이 발전해 갈수록 다양한 특종보험 또는 복합상품이 발생할 수 있기에 양분하자고 하였습니다.

왜냐하면 손해사정사를 종별로 과다하게 세분화할 경우 이론적으로는 전문화가 이루어질 수는 있을 것 같으나 지나치게 세분화되면 손해사정사는 불확실하게 발생하는 사고처리를 하며 수입발생이 적어 생계에 어려움이 따르는 바, 손해사정사를 인(人보)험과 물(物)보험 분야로 양분하되 손해사정사에 따라서 본인 적성 및 업무분야에 따라 인(人)보험 또는 물(物)보험 중에서 선택하여 특정분야쪽 손해사정 업무를 발전시켜 자연스럽게 특화해 나가 자생할 수 있는 방안이 마련되어져야 하는 것이 시장원리에 부합된다고 사료되어 손해사정사의 구분을 아래와 같이 제시하였습니다.

나. 인(人) 손해사정사

人 손해사정사는 각종 사고나 질병으로 인해 발생되는 사람 또는 동물에게 생긴 손해액을 사정한다.

다. 물(物) 손해사정사

物 손해사정사는 각종 사고로 인해 발생되는 재물에 생긴 손해액을 사정한다.

라. 단일 손해사정사

저는 위와 같이 인(人) 손해사정사와 물(物) 손해사정사 통합안을 제시하였지만 부득이 4종 손해사정사 시험이 도입되고 2014년 손해사정사 제도가 원안자의 제안과 다르게 재물, 차량, 신체, 종합 손해사정사로 변경되어 시행되고 있습니다.

이후 2014년 세월호 사고를 비롯해 대형 복합화한 국가재난 사고가 발생하고 있고 금융사고까지 포함하는 다양한 형태의 복합 보험상품이 개발되어 출시되면서 손해사정의 영역은 폭넓게 확장되고 복합적인 시각에서의 손해사정이 이루어져야 될 필요성이 있으며

최근 정치· 경제 ·사회적 변화와 미중 무역전쟁으로 인한 세계적인 불경기 및 인구의 고령화 시대가 도래하고 4차 산업혁명에 따라 산업이 급변하면서 구세대의 직업이 소멸하고 신 직업이 생성되는 과도기에 업무영역별 손해사정사 구분이 무의미하므로 현행 손해사정사 시험제도를 하나로 통합해야 된다는 시대적 필요성이 있다고 사료되어 손해사정사 시험제도 개정을 제안합니다.

이에 재물 차량 신체 손해사정사를 통합한 단일 손해사정사

제도 시행을 위하여 시험과목을 아래 바항 도해와 같이 시험과목의 수정을 제안하며 손해사정사 시험제도 단일화에 따른 손해사정 보수기준도 8항에서 새롭게 마련하여 제안합니다.

1차 시험과목에 민법총칙을 추가하였는데 손해사정사는 업무상 신속한 보상처리와 원활한 보험금 지급을 위하여 보험계약자 및 피보험자와 협의를 통해 손해사정과 관련된 대리·중재·조정등의 직무수행을 하게 되는 경우에 이에 대한 정당성을 확보할 수 있고 손해사정업무의 적정성 판단이라는 업무범위와 관련하여 보험관계법령등 기초 법률과목인 민법이 중요하다고 판단되어 시험과목에 추가하는 것이 좋을 듯 합니다.[7)]

또한 회계원리를 1차 시험과목으로 한 이유는 손해사정사는 업무상 손해액 및 보험금 사정업무를 하는 데 필요한 회계지식 유무를 검증하기 위해 회계원리를 1차 시험과목으로 정하였습니다.

2차 시험과목으로 손해사정이론은 손해보험, 생명보험, 공제회사, 산재보험까지 포괄한 내용을 담아 손해사정이론 과목으로 하고 화재보험, 해상보험, 책임보험 과목구분은 상법의 보험편 분류에 의거 시험과목으로 하며 자동차보험은 손해사정업무 비중이 많아 별도 과목으로

---

7) 김현록, “손해사정사 자격 및 시험제도 개선을 위한 제언-통합손해사정사를 중심으로”, 손해사정연구 7(1). 16면.

시험과목으로 하고 특종보험은 상법의 보험편(재보험은 제외)이나 자동차보험으로 분류할 수 없는 과거부터 있었던 또는 최근 다양하게 상품개발 되고 있는 보험사고에 따른 손해사정업무 수행을 위해 특종보험으로 묶어서 시험과목으로 하되 상법의 보험편 재보험과 보증보험까지 포괄한 내용으로 시험과목으로 하며 인보험 이론 및 실무는 신체손해사정사 2차 과목이었던 의학이론을 별도 과목으로 시행하지 않고 인(생명·상해·질병·간병)보험 이론 및 실무 과목에 내용 포함하여 시험과목으로 하는 것이 합리적이라고 사료되어 시험과목에 포함시켰으며 인보험에서 생명보험, 상해보험, 질병보험, 간병보험을 전부 포괄한 것은 보험업법 시행령 제1조의 2(보험상품) 구분에 의거 인보험으로 통합하여 한 과목으로 하는 것이 효율적이라 판단되어 2차 시험과목도 전면 재편하였습니다.

이렇게 하여 손해사정사 시험제도 및 보수기준의 통합과 현실화가 시급히 실현된다면 최근 사고가 복잡하고 복합화 되고 대형화 되는 추세에 효율적으로 국가 재난사고나 산재사고 등 모든 보상을 위한 사고와 관련된 신속한 손해조사와 복구 및 피해당사자들의 신체적·정신적 빠른 복구를 위해서 손해사정사가 국가와 사회경제 발전에 큰 기여를 하게 될 것이라고 예견합니다.

마. 유사 자격증을 손해사정사로 통합하여 단일화 실시

손해사정사와 유사한 자격증으로 시험 시행기관에 따라 나

뉘고 있는 손해평가사, 보험조사 분석사 등의 자격증을 손해사정사 시험제도로 흡수 통합하여 1차 시험에 관련업무 종사 5년 근무시 면제 또는 관련자격증 소지자에 대하여는 손해사정사 자격증으로 단일화하여 모든 보상을 위한 손해조사는 단일화한 손해사정사가 해야 된다고 사료되며 이를 보험업법에 모든 보상을 위한 손해조사는 손해사정사가 해야 된다고 보험업법 개정을 통해 조문에 명시할 필요성이 있다고 사료됩니다.

바. 손해사정사 시험제도 변천 및 손해사정사 통합 시험제도 도해

〈표 5-1〉 손해사정사 시험제도 변천 및 손해사정사 통합 시험제도 도해

1978년 시행-제1회		종 목	제1차 시험	제2차 시험
손해사정사 시험을 보험종목으로 제1종, 제2종, 제3종으로 구분하여 시행함	⇨	제1종(화재보험·특종보험)	1) 보험업법 2) 화재·특종보험이론 3) 회계학 4) 영어 5) 보험계약법(상법 보험편)	1) 손해보험의 손해사정이론 2) 화재·특종보험의 손해액 및 보험금 사정실무
		제2종(해상보험·항공보험·운송보험)	1) 보험업법 2) 해상보험이론 3) 회계학 4) 영어 5) 보험계약법(상법 보험편 및 해상편)	1) 손해보험의 손해사정이론 2) 해상보험의 손해액 및 보험금 사정실무
		제3종(자동차보험)	1) 보험업법 2) 자동차보험이론 3) 회계학 4)보험계약법(상법 보험편)	1) 손해보험의 손해사정이론 2) 자동차보험의 손해액 및 보험금 사정실무

⇩

2003. 7. 14		
제4종 손해사정사 도입 시행령 공고	⇨	보험업법 시행령 개정으로 제 4종 손해사정사 제도가 2014년부터 도입된다는 기사를 보고 2003. 7. 14일 본 연구자가 재경부와 손해사정사회에 종별 손해사정사를 통합하여 인(人)손해사정사와 물(物)손해사정사로 대별해야 된다고 의견서 제출함

⇩

2004년		종 목		제1차 시험	제2차 시험
제 4종 손해사정사 시험 실시	⇨	제1종		1) 보험업법 2) 화재 및 특종보험이론 3) 회계학 4) 영어 5) 보험계약법(상법 보험편)	1)손해사정이론 2) 화재 및 특종보험 등의 손해액 및 보험금 사정실무
		제2종		1) 보험업법 2) 해상보험이론 3) 회계학 4) 영어 5) 보험계약법(상법 보험편 및 해상편)	1) 손해사정이론 2) 해상보험의 손해액 및 보험금 사정실무
		제3종	대인	1) 보험업법 2) 자동차보험이론 3) 의학이론 4) 보험계약법(상법 보험편)	1) 손해사정이론 2) 자동차보험의 손해액 및 보험금 사정실무(대인배상 및 자손사고편)
			대물차	1) 보험업법 2) 자동차보험이론	1) 손해사정이론 2) 자동차보험의 손해액 및

	량	3) 보험계약법(상법 보험편) 4) 자동차구조 및 정비이론	보험금사정실무(대물배상 및 차량손해편)
제4종		1) 보험업법 2) 제3보험이론 3) 의학이론 4) 보험계약법(상법 보험편)	1) 손해사정이론 2) 제3보험의 손해액 및 보험금 사정실무

⇩

2014년	종 목	제1차 시험	제2차 시험
재물.차량, 신체, 종합(3가지 손해사정사 합격하면 됨) 손해사정사 실시	재물	1) 보험업법 2) 보험계약법(상법 중 보험편) 3) 손해사정이론 4) 영어(공인시험으로 대체)	1) 회계원리 2) 해상보험의 이론과 실무(상법 해상편 포함) 3) 책임.화재.기술보험 등의 이론과 실무
	차량	1) 보험업법 2) 보험계약법(상법 중 보험편) 3) 손해사정이론	1) 자동차보험의 이론과 실무(대물배상 및 차량손해) 2) 자동차 구조 및 정비이론과 실무
	신체	1) 보험업법 2) 보험계약법(상법 중 보험편) 3) 손해사정이론	1) 의학이론 2) 책임보험 근로자재해보상보험의 이론과 실무 3) 제3보험의 이론과 실무 4) 자동차보험의 이론과 실무(대인배상 및 자기신체손해)
	종합	3가지 손해사정사 합격하면 됨	

⇩

향후 시험제도 개선 방안	
손해사정사-업무별 및 관련업계 유사 자격증 손해사정사로 흡수통합	손해사정사로 함-재물,차량,신체,종합손해사정사를 통합하여 손해사정사로 하며 유사 자격증인 손해평가사, 보험조사분석사등도 모두 손해사정사로 흡수통합함

⇩

손해사정사 개정안	1차 시험과목	2차 시험과목 (상법의 보험편 분류 참조)
손해사정사	1) 손해사정이론 2) 보험업법 3) 보험계약법 4) 민법총칙 5) 회계원리 6) 외국어(공인어학성적으로 대체)	1) 손해사정 이론 2) 화재보험 이론 및 실무 3) 해상보험 이론 및 실무 4) 책임보험 이론 및 실무 5) 자동차보험 이론 및 실무 6) 특종보험 이론 및 실무 7) 제3보험 이론 및 실무(의학이론 포함)

6. 시험의 주관기관 및 시행방법

유사 자격증 통합하고 손해사정사 시험제도도 단일화하여 시험 주관 기관도 1곳에서 주관하는 시험으로 하고 1차 시험후 2차 시험을 3회 또는 5회까지(직업상담사처럼) 유효하게 시행하고 2차 과목 일부 합격시 3회 또는 5회까지 유효한 것으로 하여 합격과목은 통과하고 불합격 과목만 다음 회차에 시험을 실시하는 부분합격제로 하는 것이 좋을 것 같으며 손해사정사 시험을 1년에 봄 가을 년 2회 실시하는 것으로 하는 것이 자격시험을 준비하는 수험생한테 시간적 ·경제적으로 효율적이라고 사료됩니다.

7. 시험제도 단일화에 따른 기대효과

손해사정사 시험제도가 통합되어 단일화 된다면 최근 다양하게 발생되고 있는 국가 대형재난사고나 예기치 못한 변종사고에 대해 효율적으로 대처하여 사고조사가 이루어지고 사고당사자에 대한 피해복구가 신속하고 효율적으로 이루어질 수 있으리라고 사료됩니다.

또한 시험제도가 구분되어 시행되다보니 시험 준비를 하는 수험생들에게 혼란을 줄이고 단일화된 손해사정사가 된다면 사고

영역별 구분이 없어져 시험 합격된 수험생뿐만 아니라 경력자들과 자격 보유한 손해사정사들도 수년간의 사고보상 업무에 대한 경험을 살려서 다양한 분야에서 일을 할 수 있는 기회가 열릴 수 있다고 사료됩니다.

그리고 우리나라 손해사정사들의 업무지식 know-how로 글로벌 시대에 개발도상 국가들에 진출하여 우리나라 손해사정사 자격을 외국에서도 인정받고 진출한 국가의 손해사정업무에 혼란을 주지 않게 손해사정사 단일화가 시급하다고 사료되며 그렇게 되면 결과적으로 우리나라 손해사정사 제도의 위상을 높이는 긍정적 효과로 이어지리라고 사료됩니다.

8. 손해사정 보수기준 통일안

가. 현행 손해사정사 보수기준의 문제점 및 개선안

본 연구자는 2003. 4. 1일 인보험 보수표를 선임 손해사정사 보수기준에 새롭게 신설하여 도입한 적이 있습니다.

그 당시 인보험 보수표를 신설 제정한 배경은 1997년부터 손해사정 업무중 상해보험의 비중이 커지면서 제 3보험 분야 업무가 대폭 많아져 상해보험과 질병보험 즉, 제 3보험의 손해사정

수수료(현재 손해사정 보수로 용어 정리됨-이하 수수료는 보수로 이해 바랍니다)가 거래하는 보험사 및 담당자별로 손해사정 회사에 수수료를 제 각각 제시하여 손해사정 시장의 혼란과 업무와 비용을 가중시키게 되어 업무효율을 위해 그 당시 선임 손해사정사 보수기준에 없었던 인보험 손해사정 기본 보수표를 만들어 보험회사에 제안하여 보험업계를 설득하는 일을 7년 가까이 하여 손해보험업계와 손해사정 업체간 타결되어 2003. 4. 1일 시행되었습니다.

이는 1997년 IMF로 국가의 사회적 경제적으로 혼란한 시기에 손해보험사 또는 생명보험사가 합병되거나 소멸되는 과도기에 각종 MORAL RISK성 보험사고가 과다하게 발생되어 인보험에서 손해보험·생명보험· 공제보험 영역 구분이 불필요해지면서 손해사정 전문인력 부족으로 1종 화재특종 손해사정사가 제 3보험 분야 손해사정 업무를 하면서 인보험 손해사정 기본 보수표가 수수료 지급의 근간이 될 수 있었습니다.

하지만 이후 인보험 분야는 적용에 난해함이 있고 복잡하고 현재 다양하게 발생되고 있는 보험사고 조사에 포괄적으로 적용하기 어려우며 손해사정 종사자들의 임금 및 부대비용 상승으로 아래 문제점과 같이 적정한 손해사정 수수료를 지급받지 못해 손해사정업체가 경영악화로 도산하기도 하므로 손해사정 업무 종사자들의 처우 개선을 위해 손해사정 수수료를 현실화할 필요성이 있다고 사료됩니다.

나. 독립 손해사정사의 문제점 및 개선안

독립 손해사정사들은 보험금 지급업무를 보험회사에 소속된 고용 손해사정사들과 보험회사로부터 보험사고 조사를 위임받은 위탁 손해사정 회사들이 손해사정 업무중 거의 대부분 처리하고 일반인들은 손해사정사에 대한 인식이 부족하여 독립 손해사정사들에게 업무를 의뢰하는 일은 거의 미미하며 이에 독립 손해사정사들은 생존하기 어려운 여건에 놓여져 있습니다.

이런 와중에 보험회사들도 고용 손해사정사들 임금과 위탁 손해사정사들에게 지급되는 손해사정 수수료가 결국 보험료 인상의 요인이 되는데 보험금 지급업무와 관련된 적정한 업무에 따른 손해사정 수수료 지급은 문제의 여지가 없지만 최근 고의사고를 일으키고 보험금 수령을 위해 다양하게 민원제도를 악용하거나 증가하고 있는 Moral risk성 사고조사에 보험회사가 부담하는 수수료는 보험회사나 다수의 선의의 보험계약자들이 계속 떠안고 가는 것은 무리가 있고 업해가 있다고 사료되므로 보험회사는 보험약관에 따라 보험금 지급 업무를 적정하게 수행하면 이에 이의가 있는 일반 개별소비자들이 독립 손해사정사들에게 업무를 의뢰하는 체제로 가야 다수의 보험계약자들이 떠안고 있는 보험료 인상의 부담을 완화하고 보험회사도 경영악화에서 벗어날 수 있는 대안이 될 수 있다고 사료됩니다.

왜냐하면 보험회사도 2022년 국제회계기준 적용에 따른 재정부담과 실손보험과 Moral risk성 보험사고에 따른 보험금지급 상승 부담을 견디지 못하고 도산하게 되면 이에 따른 부담은 고스란히 소비자인 보험계약자들의 부담으로 남게 되므로 손해사정 업무도 일반 보험소비자들이 독립 손해사정사를 활용할 수 있게 제도개선과 홍보가 필요하다고 사료됩니다.

다. 위탁 손해사정사의 문제점 및 개선안

보험회사로부터 위탁을 받는 손해사정사들은 보험회사를 대신하여 객관적이고 공정한 손해사정을 통해 보다나은 대고객 서비스를 위하여 노력을 하는 위탁 손해사정사들은 현재에 이르러 열악한 주변여건과 현저히 낮은 수수료로 인하여 위탁 손해사정 법인들의 경영상태가 날로 악화되고 있으며 이 같은 상황이 지속될 경우 2~3년 내 많은 손해사정법인들의 도산으로 인하여 보험 서비스 산업이 후퇴되는 사회적・경제적 혼란이 야기될 수 있으며 이를 방지하려면 손해사정 법인들의 경영상태가 정상화될 수 있도록 손해사정 수수료 인상이 절실히 요구되는 상황에 놓여 있고 아래 분석 자료는 대한손해사정법인협회의 2018년 9월 입장자료를 근거로 정리한 내용입니다.

대한손해사정법인협회가 2018년 9월 분석한 내용에 의하면 손해사정 수수료 기준의 근간이 되는 2003년 대비 2018년 9월 소비자 물가와 최저임금은 적게는 41.63%에서 많게는 214.2% 까지 상승하였으나 보험자는 그간 수수료 인상은 커녕 지속적으로 감액 지급한 결과 손해사정 업체의 생산성이 약화되고 우수인력의 유입은 되지 않고 유출로 불완전한 손해사정을 양산하게 될 가능성이 높아졌으며 손해사정의 질적 저하로 보험금이 과다 지급되거나 손해사정과 관련된 불필요한 소송 등 민원을 유발시킬 여지 또한 높아져 그 결과는 고스란히 선량한 보험가입자와 보험자가 지게 되는 현상이 도래되고 있는 실정입니다.

현재의 손해사정수수료의 지표가 되고 있는 보수료는 1985년부터 수년에 한 번씩 인상되면서 2007년까지는 단일 협정요율로 전 손해보험자가 공동으로 적용하여 오다가 보험업감독규정 제9-17조의 개정으로 "갑" 과 "을" 개별협의를 통하여 시행하도록 되어 있어 외견상 자율성이 보장되는 듯 하나 실상은 보험회사와 손해사정업체 간에 수요공급 및 당사자 간의 지위(이른바 "갑" "을" 관계)로 인한 불평등한 여건속에 보험회사의 일방적 보수기준 적용으로 십 수 년 간 지속적으로 감액된 결과 현재는 별표와 같이 2003년 및 2011년 대비 제자리걸음 또는 대부분이 현저히 감액된 상태입니다.

보수료 하락으로 인한 결과로 불완전 손해사정 또는 부정확

한 보험금 지급이 이루어진다면 보험가입자와 보험자에게 직접적으로 피해가 감은 물론, 궁극적으로 보험산업 발전에 중대한 저해요인으로 작용될 여지가 농후하다고 할 수 있으며 이는 마치 날림공사 부실공사로 인한 부담을 모든 국민이 지게 되는 현상과 다름이 없습니다.

인적・물적 자원을 구비하면서 적정 전문인력을 상시 확보해야 하는 위탁손해사정법인 입장에서는 수임 물량증대와 함께 보수료가 인상되어야 존립할 수 있고 더 나아가 우수 인력을 확보하여야만 대고객 서비스의 질적 향상이 이루어 질 수 있다는 점을 중시하여 향후에는 손해사정보수가 현실화 될 수 있도록 하여야 된다고 사료됩니다.

손해사정 기본 보수료는 재물손해사정 분야에서 1천만원미만 보수료가 66만원에서 2018년 54만원으로 2003년 대비 -18% 감액(별표 1)된 실정이며 제3보험 생명보험회사 위탁 손해사정 보수료(별표 2)는 2011년 평균보수료가 25만원에서 22만원으로 2011년 대비 -12.9% 감액된 실정이고 또한 손해보험사 위탁 손해사정 보수료는 2011년 평균 보수료가 21만원에서 2018년 20만원으로 2011년 대비 -5.2% 감액된 실정에 놓여 있습니다.

<표 8-1> 재물(차량 제외)손해사정 평균보수료 증감율[8]

년도별 / 손해사정금액	2003년	2018년 (A사)	2018년 (B사)	2018년 (C사)	2018년 (D사)	2018년 (E사)	2018년 평 균
1천만원미만	기본료 660,000원	평균 571,250 단순 (350,000) 300만 (515,000) 500만 (670,000) 1천만원 (750,000)	평균 530,000 단순 (350,000) 300만 (500,000) 1천만원(740,000)	평균 583,330 300만 (450,000) 500만 (600,000) 1천만원(700,000)	평균 500,000 300만 (300,000) 500만 (500,000) 1천만원(700,000)	평균 520,000 300만 (400,000) 500만 (500,000) 1천만원(660,000)	5개사 평균 -540,000 원
1천~2천만원	5.06	5.57	5.06	5.06	5.06	5.06	5.16
2천~3천만원	4.18	4.60	4.18	4.18	4.18	4.18	4.26
3천~5천만원	3.74	4.11	3.74	3.74	3.74	3.74	3.81
5천~1억원	2.88	3.17	2.88	2.88	2.88	2.88	2.93
1억~2억원	2.20	1.94	2.2	1.98	1.94	2.20	-2.05
2억~3억원	1.95	1.61	1.95	1.76	1.61	1.95	-1.77
3억~5억원	1.61	1.33	1.33	1.37	1.33	1.61	-1.39
5억~10억원	1.27	1.06	1.06	1.08	1.06	1.27	-1.10
10억~20억원	1.11	0.78	0.78	0.86	0.78	1.11	-0.86
20억~30억원	1.02	0.71	0.71	0.78	0.71	1.02	-0.78
30억~50억원	0.91	0.64	0.64	0.7	0.64	0.91	-0.70
50억초과	0.41가산	0.28가산	0.28가산	0.20가산	0.28가산	0.2가산	-0.24
100억초과	0.2가산	1.10가산	0.10가산	0.10가산	0.10가산	0.1가산	-10.00

주) ① 1985년 ~ 2003년도: 전손보사 공동요율적용
② 2007년이후부터 각 회사별 개별 요율적용

8) 대한손해사정법인협회. FY2019년 손해사정 보수료 인상 요청안, 2018. 9. 6.

③ 소액건(1천만원미만) 세분화 하면서 감액 조정됨.
④ 고액건(1억이상)요율도 하향적용으로 감액 조정됨.
⑤ 사고물건중 절대 다수건(80%이상)인 1천만원미만이 심하게 감소됨.
⑥ 2018년 보수료는 손보사 5개 평균임.

<표 8-2> 신체손해사정 단순·일반조사 평균보수료 증감율[9]

생명보험사 (단위:원)

년 도 별	2011년(10개사평균)	2018년(7개사평균)	증 감 율
구 분	단순조사 182,500 일반조사 325,500	단순조사 153,500 일반조사 288,500	-15.8% 감액 -11.3% 감액
평균보수료	254,000	221,000	-12.9 감액

주)① 생명보험사는 외주위탁손해사정을 일부사가 FY2007년부터 개시함.
② FY2011년부터 외주위탁손해사정이 본격적으로 개시됨.
③ FY2018년 평균보수료는 7개사 평균임.

손해보험사 (단위:원)

년 도 별	2011년(11개사평균)	2018년(11개사평균)	증 감 율
구 분	단순조사 143,636 일반조사 281,818	단순조사 130,900 일반조사 272,100	-8.8% 감액 -3.4% 감액
평균보수료	212,727	201,500	-5.2% 감액

주)① 손해보험사는 기준년도인 FY2011년 이전인 FY2003년부터 외주위탁손해사정을 개시함.
② 초기에는 1종손해사정 보수료를 기준으로 운영하다가 현재까지 계속 감액되어 왔음.
③ FY2018년 평균보수료는 11개사 평균임.
④ 사별 난이도에 의한 구분은 2-6단계로 구분된 것을 3단계로 축소 평균한 것임.

9) 대한손해사정법인협회. FY2019년 손해사정 보수료 인상 요청안, 2018. 9. 6.

그러나 이에 비해 최저임금 상승률은 2003년부터 2018년까지 214.2% 상승하였고 소비자물가 상승률은 2003년부터 2018년까지 41.63% 상승하였으며 국민연금 수급률은 2003년부터 2018년까지 44.56% 상승하여 이는 고스란히 손해사정법인 운영의 부담이 되고 경영악화로 이어져 손해사정업무 종사자들의 적정임금 지급 및 근로여건 악화에 영향을 주고 있습니다.

또한 손해사정 보수가 보험회사의 일방적 보수기준 적용이나 최저가 위주의 위탁계약이 되고 있는 작금의 현실에 최소한의 합리적 가이드라인이 마련될 수 있도록 보험회사, 손해사정업자, 보험소비자단체 등이 참여하는 상설 보수료산정 위원회를 구성하여 여기서 합리적인 대안이 제시될 수 있도록 제도적 장치가 마련되어야 된다고 문제점을 지적하고 있습니다.

본 연구자는 위탁 손해사정 법인을 1999년 창업하여 2014년 폐업하기까지 운영해 본 바에 의하면 손해사정 수수료 정산상 여러 문제점이 있는데 보험회사의 경영악화를 손해사정업체에 전가하며 일방적으로 손해사정 수수료를 대폭 감액하여 위탁계약을 체결하는 경우에는 손해사정업체도 동일하게 임금조정 하여야 되는 문제가 발생하며 또한 손해사정 수수료 지급일자 기준이 없어 손해사정 수수료나 경비 일체가 제때 정산이 안 되거나 보험회사 담당자의 잦은 교체 및 주 5일 근무 및 정시퇴근으로 담당자는

계약자에 대한 보험금지급 처리에 급급하고 손해사정수수료 지급은 미루어지게 되는 상황에서 손해사정 법인은 임금 지급은 제때 하여야 되므로 이러한 여러 문제가 손해사정 회사의 경영악화로 이어져 도산하게 되는 계기가 되기도 합니다.

라. 손해사정사 시험제도 변경에 따른 보수기준 통일안

위의 독립 손해사정사 및 위탁 손해사정법인의 현재 실정을 감안하여 현재 시행되고 있는 손해사정사 시험제도가 단일 손해사정사로 통합되어 시행되면 바로 손해사정 보수기준도 단일화하고 현실화해야 되므로 시험제도와 보수기준 변경 시행이 시급하다고 사료됩니다.

왜냐하면 고용정보원의 2019년 한국 직업전망 보고서 125페이지 일자리 전망에서 향후 10년간 취업자수 전망을 년 평균 1% 인상 2%이하 다소 증가한다고 전망하고 있고 있으며 이에 따르면 손해사정사의 고용증가에 영향을 미치는 요인은 여러 가지 있을 수 있으나 손해액 평가와 보험금 산정을 필요로 하는 각종 사건・사고가 늘고 있고 특히 그 중 고령 인구의 증가로 노인 요양병원에 대한 손해사정과 관련한 업무와 인력 수요도 향후에 늘어날 가능성이 있다고 보며 반려동물 관련 사고, 이색스포츠 사고, 드론사고 등 틈새 보험상품 시장이 향후 활성화될 경우 이와 관련한 손해사정 업무도 새롭게 등장할 것으로 보고 있다. 그리고 빅데이터, 핀테크 등의 기술발전은 한편으로는 기존에 없던 리스크를 등장시켜 예전과 다른 양상의 다양한 손해보험 상품을 등장시키고 시장을 확대시킬 것으로 전망하고 있습니다.

또한 최근 저축성 보험에 대한 세제 혜택 축소, 국제회계기준(IFRS)도입 등의 이유로 전반적으로 보험시장의 성장세가 둔화되고 있으나 생명보험에 비해 손해보험의 경우 회사차원에서 보다 공정하고 꼼꼼한 사정 업무를 위해 전문 손해사정사를 통한 업무는 지속될 것으로 전망하며 최근에는 보험약관이 보다 명확하고 세분화되는 추세이고, 고객들이 공정하고 객관적인 보험료 산정과 청구를 위해 관련 전문가의 도움을 더 많이 필요로 할 것으로 전망하고 있습니다.

이러한 전망에 비추어 보험자의 보험금 지급업무의 시장 혼란을 줄이기 위해 한시바삐 손해사정사 시험제도와 보수기준은 단일화 하여야 되므로 손해사정사 시험제도 개정 방안에 따른 단일화한 손해사정 보수기준을 아래와 같이 제시합니다.

1) 위탁 손해사정회사 직급별 평균 연봉표

본 연구자가 2019년 8월 30일 사람인 사이트에서 손해사정법인회사중 상위 손해사정 업체들의 평균연봉을 조사하여 분석한 아래 별표 위탁 손해사정회사 직급별 평균 연봉표 자료에 의하면 현행 보수표로 손해사정회사들은 임금지급 부담으로 경영악화에 이르러 손해사정 법인중 일부는 도산하게 되는 상황에 놓이게 되며 대한손해사정법인협회도 당장 수수료를 25% 이상 인상하지 않으면 손해사정법인 업체중 1/3만 남게 될 것이라고 예측하고 있습니다.

<표 8-3> 위탁 손해사정회사 직급별 평균 연봉표10)

(단위:만원)

직급 / 손사 경력 년수	회사명	업력(년)	매출액(단위:만원)	사원(고졸)	사원(대졸(2,3년))	사원-대졸(4년)	주임	대리	과장	차장	부장	총액	인당 평균 연봉	인당 손익분기점 매출(연봉x3배)
1	국내보험사자회사	20	15,930,210	2,744	3,218	3,749	4,466	5,150	6,095	7,199	8,292	40,913	5,114	15,342
2	외국보험사자회사	18	174,648	2,544	2,853	3,377	3,997	4,720	5,478	6,653	7,729	37,351	4,669	14,007
3	A사	14	1,809,617	2,393	2,483	2,705	2,903	3,590	4,446	5,208	6,139	29,867	3,733	11,200
4	B사	7	663,881	2,434	2,727	3,002	3,439	3,903	4,420	5,477	6,208	31,610	3,951	11,854
5	C사	36	1,156,251	2,492	2,646	2,914	3,408	3,856	4,439	5,460	6,164	31,379	3,922	11,767
6	D사	49	371,649	2,361	2,595	2,894	3,424	3,941	4,418	5,250	5,921	30,804	3,851	11,552
7	E사	-	-	2,409	2,524	2,617	3,342	3,668	4,242	5,575	6,250	30,627	3,828	11,485
8	F사	35	2,787,191	2,439	2,612	2,739	3,164	4,035	4,485	5,713	6,283	31,470	3,934	11,801
9	G사	-	-	2,627	2,925	3,223	3,920	4,513	5,158	6,265	7,112	35,743	4,468	13,404
10	H사	49	391,497	2,549	2,897	3,292	3,785	4,457	5,185	5,892	6,882	34,939	4,367	13,102
11	I사	49	-	2,427	2,663	2,876	3,372	3,963	4,623	5,254	6,155	31,333	3,917	11,750
12	J사	-	-	2,368	2,524	2,768	3,309	3,879	4,375	5,187	5,924	30,334	3,792	11,375
13	K사	4	612,879	2,354	2,493	2,766	3,385	3,921	4,638	5,443	6,057	31,057	3,882	11,646
	총액			32,141	35,160	38,922	45,914	53,596	62,002	74,576	85,116	427,427	53,428	160,285
	직급별 평균 연봉			2,472	2,705	2,994	3,532	4,123	4,769	5,737	6,547	32,879	4,110	
	직급별 평균 월급			206	225	250	294	344	397	478	546	2,740	342	

10) 출처:사람인, 2019.8.30일 공시자료

2) 사고 유형에 따른 조사시간 기준 보수표

본 연구자는 2001년 손해사정회사를 운영하며 현재 손해보험협회 보험사기 조사팀의 근간이 되었던 집단보험사기 조사업무를 수행하고 당시 업무 위탁한 1개 공제회사를 제외하고는 중복보험 가입되었던 생명보험회사와 손해보험회사로부터 손해사정 수수료를 정산받지 못한 바 있습니다. 이에 2001년도 당시 손해보험협회와 공조한 손해사정 수수료 미수금은 아래 사고 유형에 따른 조사시간 기준 보수기준을 근거로 현재라도 정산되어야 된다고 사료됩니다.

그리고 2001년 당시에는 금융감독원의 보험범죄 적발 관련 포상금 지급근거도 없었다가 저희 회사가 수행한 보험사기 적발업무로 금융감독원에서 일반 소비자가 보험범죄 신고시 5천만원 포상금 지급기준을 마련하였고 각 손해보험사들은 보험사기 전담팀 신설의 계기가 되었었습니다.

또한 금융감독원의 손해보험・생명보험・공제회사 등으로 분산되어 있는 보험계약들을 조회하여 보험사기 조사업무에 활용하기 위한 보험사기조사 전산시스템 마련의 기초가 되었고 전국 경찰서의 보험사기 전담 경찰관 배치와 보험 교육을 실시하게 된 성과가 있었으나 관련업무 수행에 따른 손해사정 수수료는 없고 공공기관에서는 손해사정 법인 회사의 서비스로만 인식하고 있었던 당시 상황에 의했을 때 그러한 업무들로 인해 손해사정 회사

운영상 어려움도 있었습니다.

이에 향후에는 산재보험과 같이 공공기관의 보험사고 조사시 보험회사와 중복되어 업무수행하게 되었을 때 이에 대한 손해사정 수수료와 기타 경비도 손해사정 회사의 업무서비스로 이해되고 있는 관행을 버리고 손해사정사의 인건비와 경비 정산도 공공기관에서도 시행하여야 된다고 사료되며 산재보험에서의 산재사고 조사의 전문성을 위해서는 장래에는 산재보험 사고도 전문손해사정사를 고용하거나 외부 위탁하여 업무처리 하여야 산재사고 조사업무의 전문성과 효율성을 높일 수 있다고 사료됩니다.

예를 들면 우체국의 경우 현재의 우체국금융개발원 보험사업처 보험조사실 2001년 신설할 때 당시 폭증하는 보험사고와 moral risk성 사고를 감당하기 어려워 당시 손해사정업체 대표였던 본 연구자에게 손해사정업무와 손해사정 수수료 및 임직원 임금등 자문을 받아서 보험조사실을 신설하여 현재까지 운영되고 있습니다.

이처럼 우체국공제의 경우 IMF이후 폭증된 우체국공제 사고조사의 전문화가 필요함을 빨리 인식하고 발 빠르게 대처하여 우체국공제는 공제계약자들에게 전문화된 서비스를 제공하여 신뢰를 받고 아울러 외부 위탁의 발판을 마련하였다고 봅니다.

<표 8-4> 사고유형에 따른 조사시간 기준 보수표

(2019년 최저임금 8,350원, 최저월급 1,745,150원-주52시간 최대 209시간) (단위:원)

사고유형에 따른 조사시간 기준 손해사정수수료(손사업체 평균 연봉표 기준하여 알바생:최저임금, 대리 연봉 4천, 팀장 연봉 5천, 부장 연봉 7천, 임원 연봉 1억 적용하여 산정)		1건당 처리일과 보고서 작성시간(간편 4시간,중간 1일,최종 2일,사망 보고서 3일 소요)	최저임금 및 희망연봉 기준 건당 처리시간 및 평균 손해사정 수수료			실제 처리시간 대비 월 처리건 매출액				
			시간당 최저임금	1일 처리시간 : 주52시간 최대 209시간	1일 보수	월 처리건 : 월 209시간/25시간=8건(질병건)	월 처리건 수수료 합계	손해사정사수	월 매출액	매출액 3배=손익분기점 매출액
	질병	조사방법	시간당 최저임금	처리시간	시간당 보수					
질병사고	알바생 조사시 : 최저임금 기준	피보험자 면담약속-통화	8,350	1	8,350					
		면담하러 가기	8,350	2	16,700					
		면담하는 시간	8,350	3	25,050					
		병원가기 3곳-최소-1군데당 왕복2시간 걸림	8,350	6	50,100					
		병원조사 3곳-최소	8,350	9	75,150					
		보고서 작성시간	8,350	4	33,400					
		알바생 질병건 최소 보수 합계		25	208,750	8	1,670,000	1	1,670,000	5,010,000
	대리급 조사시:연봉 4천만원=월급 3,333,333 = 시급(209시간으로 나눔)15,948 원 기준	피보험자 면담약속-통화	15,948	1	15,948					
		면담하러 가기	15,948	2	31,896					
		면담조사 시간	15,948	3	47,844					
		병원가기 3곳-최소-1군데당 왕복2시간 걸림	15,948	6	95,688					
		병원조사 3곳-1곳당 최소 3시간 걸림	15,948	9	143,532					
		보고서 작성시간	15,948	4	63,792					
		대리급 질병건 최소 보수 합계		25	398,700	8	3,189,600	1	3,189,600	9,568,800
	팀장급 조사시:연봉 5천만원=월급 4,166,666 = 시급(209시간으로 나눔)19,936 원 기준	피보험자 면담약속-통화	19,936	1	19,936					
		면담하러 가기	19,936	2	39,872					
		면담조사 시간	19,936	3	59,808					
		병원가기 3곳-최소-1군데당 왕복2시간 걸림	19,936	6	119,616					
		병원조사 3곳-1곳당 최소 3시간 걸림	19,936	9	179,424					
		보고서 작성시간	19,936	4	79,744					
		팀장급 질병건 최소 보수 합계		25	498,400	8	3,987,200	1	3,987,200	11,961,600
	부장급 조사시:연봉 7천만원=월급 5,833,333 = 시급(209시간으로 나눔) 27,910원 기준	피보험자 면담약속-통화	27,910	1	27,910					
		면담하러 가기	27,910	2	55,820					
		면담조사 시간	27,910	3	83,730					
		병원가기 3곳-최소-1군데당 왕복2시간 걸림	27,910	6	167,460					
		병원조사 3곳-1곳당 최소 3시간 걸림	27,910	9	251,190					
		보고서 작성시간	27,910	4	111,640					
		부장급 질병건 최소 보수 합계		25	697,750	8	5,582,000	1	5,582,000	16,746,000
	임원급 조사시:연봉 1억원=월급 8,333,333 = 시급(209시간으로 나눔) 39,872 원 기준	피보험자 면담약속-통화	39,872	1	39,872					
		면담하러 가기	39,872	2	79,744					
		면담조사 시간	39,872	3	119,616					
		병원가기 3곳-최소-1군데당 왕복2시간 걸림	39,872	6	239,232					
		병원조사 3곳-1곳당 최소 3시간 걸림	39,872	9	358,848					
		보고서 작성시간	39,872	4	159,488					
		임원급 질병건 최소 보수 합계		25	996,800	8	7,974,400	1	7,974,400	23,923,200

			최저임금 기준 건당 처리보수			실제 처리시간 대비 월 처리건 매출액				
	사고유형별	1건당 처리일과 보고서 작성시간(간편 4시간,중간 1일,최종 2일,사망 보고서 3일 소요)	시간당 최저임금	1일 처리시간 : 주 52시간 최대 209시간	1일 보수	월 처리건 : 월 209시간/44시간=5건(상해건)	월 처리건 수수료 합계	손해사정사수	월 매출액	매출액 3배=손익분기점 매출액
	상해	조사방법	시간당 최저임금	처리시간	시간당 보수					
상해사고	알바생 조사시 : 최저임금 기준	피보험자 면담약속-통화	8,350	1	8,350					
		피보험자 면담하러 가기	8,350	2	16,700					
		피보험자 면담 시간	8,350	3	25,050					
		병원가기 3곳-최소-1군데당 왕복2시간 걸림	8,350	6	50,100					
		병원조사 3곳-최소	8,350	9	75,150					
		조사목격자 주변인 조사하러 가기-최소 3인	8,350	6	50,100					
		주변 진술인 1인 조사시간	8,350	1	8,350					
		경찰서 조사하러 가기	8,350	2	16,700					
		경찰서 조사 시간	8,350	2	16,700					
		현장조사 하러 가기	8,350	2	16,700					
		현장조사 시간	8,350	2	16,700					
		보고서 작성시간	8,350	8	66,800					
		알바생 상해건 최소 보수 합계		44	367,400	5	1,837,000	1	1,837,000	5,511,000
	대리급 조사시:연봉 4천만원=월급 3,333,333 = 시급(209시간으로 나눔)15,948 원 기준	피보험자 면담약속-통화	15,948	1	15,948					
		피보험자 면담하러 가기	15,948	2	31,896					
		피보험자 면담 시간	15,948	3	47,844					
		병원가기 3곳-최소-1군데당 왕복2시간 걸림	15,948	6	95,688					
		병원조사 3곳-최소	15,948	9	143,532					
		조사목격자 주변인 조사하러 가기-최소 3인	15,948	6	95,688					
		주변 진술인 1인 조사시간	15,948	1	15,948					
		경찰서 조사하러 가기	15,948	2	31,896					
		경찰서 조사 시간	15,948	2	31,896					
		현장조사 하러 가기	15,948	2	31,896					
		현장조사 시간	15,948	2	31,896					
		보고서 작성시간	15,948	8	127,584					
		대리급 상해건 최소 보수 합계		44	701,712	5	3,508,560	1	3,508,560	10,525,680
	팀장급 조사시:연봉 5천만원=월급 4,166,666 = 시급(209시간으로 나눔)19,936 원 기준	피보험자 면담약속-통화	19,936	1	19,936					
		피보험자 면담하러 가기	19,936	2	39,872					
		피보험자 면담 시간	19,936	3	59,808					
		병원가기 3곳-최소-1군데당 왕복2시간 걸림	19,936	6	119,616					
		병원조사 3곳-최소	19,936	9	179,424					
		조사목격자 주변인 조사하러 가기-최소 3인	19,936	6	119,616					
		주변 진술인 1인 조사시간	19,936	1	19,936					
		경찰서 조사하러 가기	19,936	2	39,872					
		경찰서 조사 시간	19,936	2	39,872					
		현장조사 하러 가기	19,936	2	39,872					
		현장조사 시간	19,936	2	39,872					
		보고서 작성시간	19,936	8	159,488					
		팀장급 상해건 최소 보수 합계		36	877,184	5	4,385,920	1	4,385,920	13,157,760
상해사고	부장급 조사시:연봉 7억원=월급 5,833,333 = 시급(209시간으로 나눔) 27,910원 기준	피보험자 면담약속-통화	27,910	1	27,910					
		피보험자 면담하러 가기	27,910	2	55,820					
		피보험자 면담 시간	27,910	3	83,730					
		병원가기 3곳-최소-1군데당 왕복2시간 걸림	27,910	6	167,460					
		병원조사 3곳-최소	27,910	9	251,190					
		조사목격자 주변인 조사하러 가기-최소 3인	27,910	6	167,460					
		주변 진술인 1인 조사시간	27,910	1	27,910					
		경찰서 조사하러 가기	27,910	2	55,820					
		경찰서 조사 시간	27,910	2	55,820					
		현장조사 하러 가기	27,910	2	55,820					
		현장조사 시간	27,910	2	55,820					
		보고서 작성시간	27,910	8	223,280					
		부장급 상해건 최소 보수 합계		44	1,228,040	5	6,140,200	1	6,140,200	18,420,600
	임원급 조사시:연봉 1억원=월급 8,333,333 = 시급(209시간으로 나눔) 39,872 원 기준	피보험자 면담약속-통화	39,872	1	39,872					
		피보험자 면담하러 가기	39,872	2	79,744					
		피보험자 면담 시간	39,872	3	119,616					
		병원가기 3곳-최소-1군데당 왕복2시간 걸림	39,872	6	239,232					
		병원조사 3곳-최소	39,872	9	358,848					
		조사목격자 주변인 조사하러 가기-최소 3인	39,872	6	239,232					
		주변 진술인 1인 조사시간	39,872	1	39,872					
		경찰서 조사하러 가기	39,872	2	79,744					
		경찰서 조사 시간	39,872	2	79,744					
		현장조사 하러 가기	39,872	2	79,744					
		현장조사 시간	39,872	2	79,744					
		보고서 작성시간	39,872	8	318,976					
		임원급 상해건 최소 보수 합계		44	1,754,368	5	8,771,840	1	8,771,840	26,315,520

	사고유형별	1건당 처리일과 보고서 작성시간(간편 4시간,중간 1일,최종 2일,사망 보고서 3일 소요)	최저임금 기준 건당 처리보수			실제 처리시간 대비 월 처리건 매출액				
			시간당 최저임금	1일 처리시간 : 주52시간 최대 209시간	1일 보수	월 처리건 : 월209시간/69시간=3건(사망건)	월 처리건 수수료 합계	손해사정사수	월 매출액	매출액 3배=손익분기점 매출액
	사망	조사방법	시간당 최저임금	처리시간	시간당 보수					
사망사고	알바생 조사시 : 최저임금 기준	피보험자 면담약속-통화	8,350	1	8,350					
		피보험자 면담하러 가기	8,350	2	16,700					
		피보험자 면담 시간	8,350	3	25,050					
		병원가기 3곳-최소-1군데당 왕복2시간 걸림	8,350	6	50,100					
		병원조사 3곳-최소 1곳당 3시간 걸림	8,350	9	75,150					
		조사목격자 주변인 조사하러 가기-최소 5인	8,350	10	83,500					
		주변 진술인 조사시간-인당 2시간 최소 5인	8,350	10	83,500					
		경찰서 조사하러 가기-최소 2곳	8,350	4	33,400					
		경찰서 조사 시간-최소 2곳	8,350	4	33,400					
		현장조사 하러 가기	8,350	2	16,700					
		현장조사 시간	8,350	2	16,700					
		보고서 작성시간	8,350	16	133,600					
		알바생 사망건 최소 보수 합계		69	576,150	3	1,728,450	1	1,728,450	5,185,350
	대리급 조사시:연봉4천만원=월급3,333,333 = 시급(209시간으로 나눔)15,948 원 기준	피보험자 면담약속-통화	15,948	1	15,948					
		피보험자 면담하러 가기	15,948	2	31,896					
		피보험자 면담 시간	15,948	3	47,844					
		병원 가기 3곳-최소-1군데당 왕복2시간 걸림	15,948	6	95,688					
		병원조사 3곳-최소 1곳당 3시간 걸림	15,948	9	143,532					
		조사목격자 주변인 조사하러 가기-최소 5인	15,948	10	159,480					
		주변 진술인 조사시간-인당 2	15,948	10	159,480					
		경찰서 조사하러 가기-최소 2곳	15,948	4	63,792					
		경찰서 조사 시간-최소 2곳	15,948	4	63,792					
		현장조사 하러 가기	15,948	2	31,896					
		현장조사 시간	15,948	2	31,896					
		보고서 작성시간	15,948	16	255,168					
		대리급 사망건 최소 보수 합계		69	1,100,412	3	3,301,236	1	3,301,236	9,903,708

사망사고	팀장급 조사시:연봉 5천만원=월급 4,166,666 = 시급 (209시간으로 나눔)19,936 원 기준	피보험자 면담약속-통화	19,936	1	19,936					
		피보험자 면담하러 가기	19,936	2	39,872					
		피보험자 면담 시간	19,936	3	59,808					
		병원 가기 3곳-최소-1군데당 왕복2시간 걸림	19,936	6	119,616					
		병원조사 3곳-최소 1곳당 3시간 걸림	19,936	9	179,424					
		조사목격자 주변인 조사하러	19,936	10	199,360					
		주변 진술인 조사시간-인당 2시간 최소 5인	19,936	10	199,360					
		경찰서 조사하러 가기-최소 2곳	19,936	4	79,744					
		경찰서 조사 시간-최소 2곳	19,936	4	79,744					
		현장조사 하러 가기	19,936	2	39,872					
		현장조사 시간	19,936	2	39,872					
		보고서 작성시간	19,936	16	318,976					
		팀장급 사망건 최소 보수 합계		69	1,375,584	3	4,126,752	1	4,126,752	12,380,256
	부장급 조사시:연봉 7천만원=월급 5,833,333 = 시급 (209시간으로 나눔) 27,910원 기준	피보험자 면담약속-통화	27,910	1	27,910					
		피보험자 면담하러 가기	27,910	2	55,820					
		피보험자 면담 시간	27,910	3	83,730					
		병원 가기 3곳-최소-1군데당 왕복2시간 걸림	27,910	6	167,460					
		병원조사 3곳-최소 1곳당 3시간 걸림	27,910	9	251,190					
		조사목격자 주변인 조사하러 가기-최소 5인	27,910	10	279,100					
		주변 진술인 조사시간-인당 2시간 최소 5인	27,910	10	279,100					
		경찰서 조사하러 가기-최소 2곳	27,910	4	111,640					
		경찰서 조사 시간-최소 2곳	27,910	4	111,640					
		현장조사 하러 가기	27,910	2	55,820					
		현장조사 시간	27,910	2	55,820					
		보고서 작성시간	27,910	16	446,560					
		부장급 사망건 최소 보수 합계		69	1,925,790	3	5,777,370	1	5,777,370	17,332,110
	임원급 조사시:연봉 1억원=월급 8,333,333 = 시급 (209시간으로 나눔) 39,872 원 기준	피보험자 면담약속-통화	39,872	1	39,872					
		피보험자 면담하러 가기	39,872	2	79,744					
		피보험자 면담 시간	39,872	3	119,616					
		병원 가기 3곳-최소-1군데당 왕복2시간 걸림	39,872	6	239,232					
		병원조사 3곳-최소 1곳당 3시간 걸림	39,872	9	358,848					
		조사목격자 주변인 조사하러 가기-최소 5인	39,872	10	398,720					
		주변 진술인 조사시간-인당 2시간 최소 5인	39,872	10	398,720					
		경찰서 조사하러 가기-최소 2곳	39,872	4	159,488					
		경찰서 조사 시간-최소 2곳	39,872	4	159,488					
		현장조사 하러 가기	39,872	2	79,744					
		현장조사 시간	39,872	2	79,744					
		보고서 작성시간	39,872	16	637,952					
		임원급 사망건 최소 보수 합계		69	2,751,168	3	8,253,504	1	8,253,504	24,760,512

합 계	682	15,458,208	월 처리 건 합계	월 처리 수수료 합계	손해사정사 수 합계	월 매출액 합계	월매출액 3배=손익분기점 매출액
총 처리시간 대비 시간당 수수료		22,666	80	70,234,032	15	70,234,032	210,702,096
손익분기점 3배 시간당 수수료(22,666*3)		67,998	실제 처리시간당 건별 손익분기점 손해사정수수료(210,702,096/80)				2,633,776
1일(8시간)당 수수료		543,984					
1달(209시간) 수수료		14,211,578					
1년(12달) 수수료=1인 평균 연봉		170,538,940					

<표 8-5> 2001년도 손해보험협회 공조 손해사정 수수료 미정산 내역[11)]

(단위:원)

<table>
<tr><td>보험조사 유형</td><td>사고유형별 보수기준에 따른 손익분기점 건당 수수료</td><td>처리기간 일수</td><td>관련 피보험자수</td><td>피보험자수에 따른 손해사정 수수료</td></tr>
<tr><td rowspan="3">보험사기</td><td>2,633,776</td><td>545(99.9-01.2)</td><td>320</td><td>842,808,320</td></tr>
<tr><td>추정손해액에 따른 보수</td><td colspan="2">보수율</td><td>보수율에 따른 손해사정수수료</td></tr>
<tr><td>5,000,000,000</td><td colspan="2">10%</td><td>500,000,000</td></tr>
</table>

3) 최저임금에 따른 직급별 경력별 보수표

고용노동부는 최저임금을 매해 산정하여 공시하고 그 다음해 1월 1일부터 시행하므로 이에 따라 최저임금을 기준으로 해서 직급별 경력별로 보수표를 10%씩 또는 20%씩 적용하여 임금 산정하는 방식으로 하여 손해사정사의 보수를 시간급으로 산정하여 지급하는 방안도 향후에는 좋을 것으로 사료되며 매년 손해사정사 시간급별 임금도 최저임금 인상안에 발맞춰 매년말에 결정하여 그 다음 해에 시행 실시하는 방안도 좋을 것으로 사료됩니다.

---

11) KIG손해사정(주)자료(2014.3월 폐업), 상기 건은 각 보험사별 분담 총 손해사정 수수료 약 43,000,000원을 정산받고자 당시 대표였던 본 저자가 손해보험협회 2001.9.20일 방문하여 서류제출 하였으나 미접수하고 현재까지 미정산됨-포상금 지급기준에 의거 지급도 안됨

<u>〈표 8-6〉 최저임금에 따른 직급별·경력별 보수표</u>

(단위:천원미만 절사)

직급 / 손사 경력 년수	2019년 최저 월급액	사원(고졸)-최저임금 의 10% 인상	사원-대졸(2,3년)-사원 의 10% 인상	사원-대졸(4년)-대졸(2,3년)의 10%인상	주임(대졸의 20% 인상)	대리(주임의 20% 인상)	과장(대리의 20% 인상)	차장(과장의 20% 인상)	부장(차장의 20%인상)	총액(9단계 직급)	인당 평균월급-직급 9단계로 나눔
	1,745	1,919	2,111	2,322	2,787	3,344	4,013	4,816	5,779	28,841	3,204
2	1,745	2,111	2,322	2,555	3,066	3,679	4,415	5,298	6,357	31,551	3,505
3	1,745	2,322	2,555	2,810	3,372	4,047	4,856	5,828	6,993	34,531	3,836
4	1,745	2,555	2,810	3,091	3,709	4,451	5,342	6,410	7,692	37,810	4,201
5	1,745	2,810	3,091	3,400	4,080	4,897	5,876	7,051	8,462	41,417	4,601
6	1,745	3,091	3,400	3,740	4,489	5,386	6,464	7,757	9,308	45,384	5,042
7	1,745	3,400	3,740	4,114	4,937	5,925	7,110	8,532	10,239	49,748	5,527
8	1,745	3,740	4,114	4,526	5,431	6,518	7,821	9,386	11,263	54,548	6,060
9	1,745	4,114	4,526	4,979	5,974	7,169	8,603	10,324	12,389	59,828	6,647
10	1,745	4,526	4,979	5,477	6,572	7,886	9,464	11,357	13,628	65,637	7,293

주) 1. 2019년 최저임금액 -시간당 8,350원, 월급 1,745,150원(209시간,주 52시간 기준임)
2. 인상률-매년 최저 월급액(최초 행렬 표시) 대비 사원(고졸)-대졸 4년까지 10%인상률 적용
3. 손해사정사 급여-현재 위탁 손해사정회사 직급별 평균 연봉표에 맞춰 매해 주임급부터 직급에 따라 20% 인상률 적용하고 경력년한으로 매년 10%인상 적용
4. 상기 표는 원단위까지 표시된 엑셀표를 천원미만 절사한 자료로서 총액 차이 발생함.

4) 보상적 임금격차 적용한 희망임금에 따른 보수기준

손해사정사는 고용정보원의 손해사정사 근무환경 분석과 보상적 임금격차를 적용해야 하는 직업이므로 보상적 임금격차를 적용한 희망임금에 따른 보수를 적용해야 된다고 사료됩니다.

가) 고용정보원 2019 한국직업전망의 손해사정사 근무환경12)

12)" 손해사정사 근무환경", 「2019 한국직업전망」, 고용정보원, 2019년, 214면.

손해사정사는 자료수집 및 분석을 위해 사무실에서 일을 하기도 하지만 사고현장에 방문하여 조사하는 경우가 많고, 피해자를 만나기 위해 병원 등을 방문하는 외부출장도 잦은 편이다. 화재현장이나 재난현장에 직접 방문하여 장시간 현장조사를 실시하는 경우도 많아 잠재적 위험에 노출되기도 한다. 고객이 또한 피해액 산정 및 보상금 지급과정에서 이견이 있거나 문제 제기를 할 경우 정신적 스트레스에 시달릴 수 있다.

나) 보상적 임금격차를 가져오는 직업의 의의

어떤 직업이 다른 직업에 비하여 현저히 노동 강도가 심하거나 열악한 환경에서 작업을 해야 하는 경우, 이들에 대한 적절한 노동공급을 확보하기 위하여 다른 직업의 경우보다 높은 임금을 지불해야 한다는 것이다.

다) 보상적 임금격차의 발생원인과 보상적 임금격차를 적용해야 하는 이유

보상적 임금격차가 발생하는 원인과 손해사정사에게 보상적 임금격차를 적용해야 하는 이유를 대입하여 요약하면 다음과 같다.[13]

---

13) 노동시장론, 직업상담사 2급, 실무이론서, (주)시대고시기획. 2019년, 261

A. 고용의 불안정성

일의 계속성과 지속될 가능성을 말한다. 즉 실업할 가능성이 크다면 실업으로 인한 소득상실을 보상해 주어야 한다. 이에 손해사정사는 보험사고가 불확실하므로 보험회사 또는 보험계약자에게 위임받는 일이 매달 임금수준을 보장할 정도로 수임되는 것이 아니다. 그러므로 생계유지를 위한 보상적 임금격차가 적용되어야 한다.

B. 작업의 쾌적함 정도

근로자 작업의 쾌적함 또는 불유쾌함의 정도이다. 즉 다른 직업에 비해 위험이 따르고 작업환경이 열악하다면 더 많은 임금을 주어야 한다. 손해사정사는 고용정보원에서 분석한 손해사정사의 근무환경에서 보듯이 고객이 피해액 산정 및 보상금 지급과정에서 이견이 있거나 문제 제기를 할 경우 정신적 스트레스에 시달릴 수 있는 환경에 놓여있고 보험금 지급을 받고자 하는 보험소비자 및 관련자들로부터 보험금 지급 압박과 협박에 시달리므로 보상적 임금격차를 적용해야 한다.

면, 노동시장론, 직업상담사 2급, 한권으로 끝내기, (주)시대고시기획. 2019년, 337면~338면.

C. 성공과 실패의 가능성

과업상의 성공과 실패의 가능성을 말한다. 즉 실패에 의해 임금소득이 보장되지 않는다면 더 많은 임금을 지불해 주어야 한다. 즉 손해사정사는 보험범죄의 경우 사고조사하며 적발할 가능성이 적은데 이에 상응한 성공보수가 적절하게 적용되지 않고 있다. 즉 보험회사로부터 수임받은 손해사정 건을 최선을 다하여 보험범죄를 입증해서 면책이 되었을 때 또는 보험계약자로부터 어려운 손해조사 건을 위임받아 조사하여 보상하는 손해임을 입증하여 보험금 지급을 받게 하였을 때 보험회사는 당연히 적발할 수 있는 사고조사로 일반화하며 손해사정사의 노고를 평가절하하여 기본 손해사정보수를 적용하려 하고 있으며 보험계약자 또한 손해사정수수료 감액 또는 손해사정수수료 미지급하기도 할 때 손해사정사는 자괴감이 드는 데 이는 그 다음 손해사정 업무를 수행할 때 직업적 사명감과 열의가 식는다. 이에 손해사정사의 능력을 인정하여 상응하는 보수를 적용하는 보상적 임금격차를 인정해야 한다.

D. 교육훈련의 비용

직무기술 습득의 비용과 난이도의 많고 적음을 말한다. 어떤 직업에 취업하기 위해 교육 및 훈련비용이 들어간다면 이 비용을 임금으로 회수하여야 한다. 즉 손해사정사는 보험상품이나 사회발전으로 다양화되어 가는 지식이나 경험을 쌓으며 교육훈련을 받아서 시대에 맞게 발전해 나가 손해사정 서비스를 제공해야 되므로 이에 따른 교육훈련 비용이 보상적 임금격차에 적용되어야 한다.

E. 책임의 정도

작업수행자에게 요구되는 책임의 정도를 말한다. 의사, 변호사 등은 막중한 책임이 따르는 일을 하는데 이 책임에 따른 높은 임금을 보장해 주어야 한다. 이와 마찬가지로 손해사정사도 보험범죄의 경우 범죄사실을 입증해서 보험금 지급이 누수되는 것을 막아 다수의 보험계약자들에게 피해가 발생되지 않도록 해야 하며 사회적으로는 정의구현을 위해 무형의 책임감이 막중하고 현실적으로 수사권도 없는 상태에서 조사하며 생명의 위협과 압박 및 협박을 당하는 상황에서 아무런 안전조치나 대항도 못하는 경우가 많으므로 보상적 임금격차로 보상되어야 한다.

라) 보상적 임금격차를 적용한 희망임금에 따른 보수표

<표 8-7> 보상적 임금격차를 적용한 희망임금에 따른 보수표

(단위:천원미만 절사)

직급 / 손사 경력 년수	2019년 최저 월급액	사원(고졸)-최저임금의 20% 인상	사원-대졸(2,3년)-사원의 20% 인상	사원-대졸(4년)-대졸(2,3년)의 20%인상	주임(대졸의 30%인상)	대리(주임의 30%인상)	과장(대리의 30%인상)	차장(과장의 30% 인상)	부장(차장의 30%인상)	총액(9단계 직급)	인당 평균월급-직급 9단계로 나눔
1	1,745	2,268	2,949	3,834	4,984	6,479	8,423	10,950	14,235	55,870	6,207
2	1,745	2,495	3,244	4,217	5,482	7,127	9,265	12,045	15,659	61,283	6,809
3	1,745	2,745	3,568	4,639	6,031	7,840	10,192	13,250	17,225	67,237	7,470
4	1,745	3,019	3,925	5,103	6,634	8,624	11,211	14,575	18,947	73,786	8,198
5	1,745	3,321	4,318	5,613	7,297	9,486	12,332	16,032	20,842	80,990	8,998
6	1,745	3,653	4,749	6,174	8,027	10,435	13,566	17,635	22,926	88,915	9,879
7	1,745	4,019	5,224	6,792	8,830	11,479	14,922	19,399	25,219	97,632	10,848
8	1,745	4,421	5,747	7,471	9,713	12,626	16,415	21,339	27,741	107,221	11,913
9	1,745	4,863	6,322	8,218	10,684	13,889	18,056	23,473	30,515	117,768	13,085
10	1,745	5,349	6,954	9,040	11,752	15,278	19,862	25,820	33,567	129,371	14,374

주) 1. 2019년 최저임금액 -시간당 8,350원, 월급 1,745,150원(209시간,주 52시간 25820기준임)

2. 인상률-매년 최저 월급액(최초 행렬 표시) 대비 사원(고졸)-대졸 4년까지 20%인상률 적용

3. 손해사정사 급여-사고유형에 따른 조사시간 기준 보수표에서 산정된 1인당 평균 연봉 170,538,940원에 맞춰 매해 주임급부터 직급에 따라 30% 인상률 적용하고 경력년한으로 매년 10%인상 적용

4. 상기 표는 원단위까지 표시된 엑셀표를 천원미만 절사한 자료로서 총액 차이 발생함.

5) 단일 손해사정사 시험제도 시행에 따른 손해사정사 보수기준 개정안

〈표 8-8〉 손해사정사 보수기준 개정안

1. 목적

이 기준은 손해사정사의 손해사정업무 보수기준을 정함을 목적으로 한다.

2. 용어의 정의

① 이 기준에서 "손해사정사"라 함은 보험업법 제 187조에 의한 손해사정업자로서 보험업법감독규정 제 9-12조 제2호의 규정에 의한 손해사정사를 말한다.
② 이 기준에서 "손해사정업무"라 함은 보험업법 및 보험업감독규정에서 정한 손해사정업무를 말한다.
③ 이 기준에서 "손해사정금액"이라 함은 "손해액확정금액"으로 손해사정사가 작성하여 기명날인한 손해사정서상의 사정금액(자기부담금이 있는 경우 자기부담금을 포함한 금액)을 말한다. 단, 보험금과 관련하여 손해사정서상 금액과 보험금 청구권자가 보험회사로부터 수령한 금액이 다른 경우에는 보험금 청구권자가 실제 수령한 금액 또는 보험금 청구권자 주장 추정손해액을 "손해사정금액"으로 본다.
④ 이 기준에서 "보험계약자 등"이라 함은 보험업법 제 185조 등에서 정한 보험계약자·피보험자·보험수익자·피해자·그 밖에 보험사고와 관련된 이해관계자를 말한다.

3. 보수의 기준

① 손해사정사의 손해사정업무 기본보수는 손해사정금액의 10%(부가가치세 별도)를 원칙으로 한다. 이 경우 기본보수의 범위 내에서 손해사정업무 계약당사자간에 협의하여 약정할 수 있다. 즉, 손해사정사의 보수는 "별표 1 손해사정 기본 보수표"와 "별표 2 보험금 사정 보수표" "별표 3 여비교통비 기준" 및 "별표 4 피해자 다수의 경우" 로 구분되며 이에 의하여 각기 산정한 금액에 당해 사고의 특성상 관계 전문인의 활용등 이례적인 부대비용이 발생한 경우 그 소요실비를 합산한 금액으로 한다.

② 위 ① 보수에서 '금액별 요율을 적용한 값이 최저보수액 미만인 경우에는 최저보수액을 적용한다.

③ 1인 이상이 하는 손해사정업무 보수 또는 제1항의 기본보수의 적용이 곤란한 손해사정업무 보수의 산정은 투입된 손해사정사 또는 조사자의 연봉대비 시간급 또는 일비를 산정하여 일당을 별도로 지급하며 이 경우 제 경비 및 여비교통비도 별도로 지급한다.

④ 착수금은 예상보수액의 1/3 또는 특약에 의한 약정금액으로 하고, 계약시점에 지급받기로 하며, 당사자 간에 따로 정하지 않을 때에는 보수에 포함된 것으로 한다.

⑤각 담보목적물(이해관계자)별 사정금액이 확정된 경우에는 각 목적물(이해관계자)별 사정금액에 따른 보수를 지급받기로 하며, 의뢰인이 가지급금(선급금)을 수령한 때에는 가지급금 수령일로부터 10일내에 해당 지급금액에 대해 약정에 따라 산정된 중간보수를 지급받기로 한다.

⑥ 업무 진행시 위 보수 외 특별비용(구조안전진단비용, 전문가 자문료, 변호사 선임보수, 기타 감정 비용 등)은 위 보수와 별개로 한다.

⑦ 상기 이외의 경우에는 당사자 간의 약정에 의한다.

[별표 1] 손해사정 기본 보수표

손해사정금액	요율(%)	최저보수액(원)(VAT별도)
착수금		예상 보수액의 1/3
손해사정금액 또는 보험금 청구금액	10%	기본 보수
500만원 미만	기본료	500,000
500만원이상~1천만원미만	10%	500,000
1천만원이상~2천만원미만	9.00%	1,000,000
2천만원이상～3천만원미만	8.00%	1,800,000
3천만원이상～5천만원미만	7.50%	2,400,000
5천만원이상～1억원미만	7.00%	3,750,000
1억원이상～2억원미만	6.50%	7,000,000
2억원이상～3억원미만	6.00%	13,000,000
3억원이상～5억원미만	5.50%	18,000,000
5억원이상～10억원미만	4.50%	27,500,000
10억원이상～20억원미만	4.00%	45,000,000
20억원이상～30억원미만	3.00%	80,000,000
30억원이상～50억원미만	2.00%	90,000,000
50억원이상～100억원미만	1.50%	100,000,000
100억원 초과금액	0.4% 가산	
손해배상금을 사정하는 경우		손해사정보수의 1.5배
사례금(성공보수)		손해사정금액 또는 보험금 청구금액의 ( )% 범위내 증액 가능 (보험범죄사고 입증은 난이도 최상급 해당)

[별표 2] 보험금 사정 보수표

손해사정금액	보수요율
1억원미만	손해사정 기본보수의 10%
1억원이상～10억원미만	손해사정 기본보수의 5%
10억원이상	손해사정 기본보수의 2%

(주) 1. 이 보수료를 적용함에 있어, 산출된 보수가 차하위 구분에 의한 기준액보다 적을 경우에는 그 기준액을 적용한다.

[별표 3] 여비교통비 기준

구 분	기본 보수
개별적 상담 (손해사정 수임이 따르는 경우는 제외)	30분까지 50,000원 (단, 30분을 초과하는 매 30분마다 30,000원씩 가산)
교통비	1등급 여객운임(항공,철도,선박,고속버스, 승용차,택시등)기준 실비 (단, 현지교통비는 50,000원까지)
숙박비	1급 숙박업소 기준 실비
일당	소요시간 4시간 이내 100,000원, 4시간 초과 150,000원

(주) 1. 손해사정사가 주재하는 동일지역(시군단위 기준)의 경우 여비교통비는 일비만을 산정한다.

2. 국외출장이 필요한 경우에는 위탁 당사자 간의 협의에 의하여 실비를 정할 수 있다.

4. 적용범위

이 기준은 손해사정사의 모든 손해사정업무에 적용한다.

5. 적용단위

① 이 기준은 보험계약자 등 별로 1 사고당, 1 인당, 1 물건당, 1 보험당 단위로 손해사정업무를 위임받은 손해사정사별로 각각 적용한다.

② 피해자 또는 피해세대수가 10인 이상인 집단사고의 경우에는 아래와 같이 할증률을 적용할 수 있다.

[별표 4] 피해자 다수의 경우

구 분	할증에 따른 최종 적용 보수
2인 이상 ~	손해사정 보수액X 사람수 X 1%

6. 일부위임의 경우 보수

손해사정업무 중 일부 업무만을 위임받은 경우 손해사정사의 보수는 이 기준의 범위 내에서 계약당사자 간에 별도로 약정할 수 있다.

7. 보수의 지급 시기

① 손해사정사의 보수는 보험계약자 등 위임자가 손해사정서를 교부받은 날로부터 10일 이내에 지급하며 10일 초과 후 부터는 지연이자를 손해사정수수료에 합산하여 지급한다.

② 수임한 업무의 중단등에 따른 보수는 손해사정사나 조사자의 연봉대비 시간당 임금을 적용하여 지급하며 모든 부대 경비와 여비교통비는 별도 산정하여 지급한다.

③ 3개월을 초과하는 손해조사의 경우 해당 손해사정수수료의 50%를 손해사정수수료로 정산하여 지급하고 조사 일비 및 제 경비와 여비교통비등 일체를 정산하여 지급한다.

④ 수임 받은 손해사정업무 진행 중 소송제기로 중도 종결되거나 또는 손해사정서 제출 후 소송이 제기되는 등의 경우에도 보험금 지급여부와 관계없이 중도 사유 발생 후 중간 또는 최종 손해사정서가 제출된 날로부터 10일 이내에 손해사정수수료를 지급하며 10일 초과 시에는 지연이자를 더하여 정산하여 지급한다.

⑤ 상기 이외의 경우에는 당사자간 약정에 의한다.

8. 보수기준의 조정

이 규정에 따른 보수기준은 물가등락 등 경제사정의 변동을 감안하여 매 2년마다 조정하여 그 다음해 1월 1일부로 시행한다.

6) 손해사정 보수표 비교

<u><표 8-9> 재물손해사정 보수표(독립 손해사정사:선임(위탁) 손해사정사)</u>

한국손해사정사회 소속 재물손해사정사 보수표		
손해사정금액	요율(%)	최저보수액(원)
2천만원미만	기본료	1,500,000
2천만원이상~3천만원미만	8.00%	1,600,000
3천만원이상~5천만원미만	7.50%	2,400,000
5천만원이상~1억원미만	7.00%	3,750,000
1억원이상~2억원미만	6.50%	7,000,000
2억원이상~3억원미만	6.00%	13,000,000
3억원이상~5억원미만	5.50%	18,000,000
5억원이상~10억원미만	4.50%	27,500,000
10억원이상~20억원미만	4.00%	45,000,000
20억원이상~30억원미만	3.00%	80,000,000
30억원이상~50억원미만	2.00%	90,000,000
50억원이상~100억원미만	1.50%	100,000,000
100억원 초과금액	-	상호 협의

선임 손해사정사 재물 및 배상책임보험 기본 보수표		
손해사정금액	요율(%)	기준액(원)
1천만원 미만	기본료	660,000
1천원이상~2천만원미만	5.06	1,012,000
2천만원이상~3천만원미만	4.18	1,254,000
3천만원이상~5천만원미만	3.74	1.870,000
5천만원이상~1억원미만	2.88	2,882,000
1억원이상~2억원미만	2.20	4,400,000
2억원이상~3억원미만	1.95	5,841,000
3억원이상~5억원미만	1.61	8,030,000
5억원이상~10억원미만	1.27	12,650,000
10억원이상~20억원미만	1.11	22,220,000
20억원이상~30억원미만	1.02	30,690,000
30억원이상~50억원미만	0.91	45,650,000
50억원이상~100억원미만	0.4가산	
100억원 초과금액	0.2가산	

선임(위탁) 손해사정사 재물 보수표는 2003년 개정이후 2018년까지 상기 위탁 손해사정사 보수가 18% 감액되고 있고 위임회사별로 보수가 달리 적용되고 있으므로 위탁 손해사정사의 재물 손해사정 보수를 그동안의 물가상승율을 감안하여 현실화하여 보수기준을 보험회사도 제대로 준수하여 회사별 또는 보수기준보다 하향 적용하지 않고 또한 고질적인 미수금 미정산등을 없애야 위

탁 손해사정회사의 경영악화나 파산을 미연에 방지할 수 있고 손해사정업계나 보험업계 발전이 이루어지리라고 전망합니다.

〈결 어〉 기대효과 및 맺음말

본 연구자는 1997년 국가적으로 IMF의 어려운 시기였던 1999년 손해사정회사를 창업하여 운영하며 손해보험에서의 상해보험과 생명보험에서의 생명보험 공제회사의 공제보험중 생명공제등 제3보험 분야에서의 손해사정시장 개척하며 인보험 손해사정업무 기초를 마련하고 인보험 전문인력을 양성하고 또한 인보험 보수표가 없어 선임 손해사정사 보수기준에 새롭게 신설하며 제3보험 분야 손해사정 업무 토대를 마련한 사실이 있습니다.

IMF 시대에 보험회사들이 폐업하고 합병되는 과정을 지켜보며 보험회사 직원들이 하루 아침에 갑자기 일하던 직장을 잃고 새로 직업을 찾는 과정을 목도하며 보험사고에서도 Moral risk성 사고가 많이 발생되어 누수되는 보험금 지급을 최대한 막아서 선량하게 일하는 보험회사 직원들이 감원되어 직장을 잃는 불상사가 발생되지 않도록 하고 대다수 선량한 보험계약자들의 보험료가 보험범죄자들에게 잘못 지급되지 않게 하고자 직업적 사명감을 갖고 최선의 노력을 다했던 경험이 있습니다.

그러한 과도기를 거치며 손해사정사의 업무영역과 혼란이 가중되는 와중에 보험업법 개정에 의해 제 4종 손해사정사까지 도입되는 2003년도 7월 보험업법 시행안을 보고 손해사정사 시험제도를 인 손해사정사와 물 손해사정사로 대별하자고 제안한 바 있는 데 무산되고 재물·차량·신체·종합 손해사정사로 구분되는 현재에 이르기까지 위에 기술한 바와 같이 여러 문제가 있으므로 조속히 손해사정사는 통합되어 단일화 되어야 된다고 사료됩니다.

그리고 손해사정사가 손해보험과 생명보험(상해·질병·간병보험), 공제보험, 산재보험까지 손해사정업무를 할 수 있도록 보험업법 및 시행령, 시행규칙 개정이 이루어져야 되고 공제회사등 관련회사의 관련 법규도 동시에 개정이 이루어져야 될 것으로 사료됩니다.

또한 현재는 보험사고와 관련된 손해사정업무는 보험회사 위임에 따라 위탁 손해사정사들이 위탁관계에 의해 사고조사를 많이 하지만 부당한 보험금 청구를 하여 과다하게 보험금 지급되어 보험료 상승효과가 발생되어 오히려 선의의 다수 보험계약자들의 보험가입을 가로막는 장애가 될 정도로 보험료가 과다하게 상승하고 있으므로 이에 대한 방지책으로 보험회사는 공정하고 타당하게 보험금을 지급기일내에 고용 손해사정사 또는 위탁 손해사정사 손해사정보고서에 의거 보험금을 지급처리하면 보험금 지급에 이의가 있는 보험계약자나 피보험자는 민원제도를 활용하거나 독립 손해사정사에게 의뢰하여 원만하게 처리될 수 있도록 독립 손해사정사를 적극 활용하도록 일반 국민들 대상 제도홍보가 필요하다고 사료됩니다.

그리고 손해사정사가 유사 자격증까지 통합하여 단일화 된다면 손해사정사 보수기준은 개정방안대로 새로운 보수기준을 적용하여 손해사정금액의 10% 또는 손해사정사별 시간당 임금으로 손해사정수수료를 지급하는 방안으로 운영되어야 전문가로서 인정받고 자긍심도 높이는 손해사정사로 발전해 나갈 수 있다고 기대합니다.

참고문헌

방갑수(1999), 최신보험학(제5전정판), 서울, 박영사

양승규(2005), 보험법(제5판), 서울, 삼지원.

조성종(2008), 상법(개정판), 서울, 학연사.

이상수(2013), 상법개론, 경기, 피앤씨미디어.

박종옥 등(1986), 화재・특종보험이론, 서울, 범론사.

강원희와 노상봉(1987), 화재・특종보험의 손해액 및 보험금 사정실무, 서울, 범론사.

신인식등(2004), 특종보험 이론 및 실무, 서울, 보험연수원.

정형익(2010), 핵심 손해사정이론, 서울, (주)고시아카데미.

이용욱(2011), 제3보험실무, 서울, (주)고시아카데미.

직업상담사 2급, 2019, 실무이론서, 서울, (주)시대고시기획.

직업상담사 2급, 2019, 한권으로 끝내기, 서울, (주)시대고시기획.

공인사정사법안(의안번호 12014), 이명수의원 대표발의, 발의연월일 2014. 10. 8.

보험업법 일부개정 법률안(의안번호 11924), 이종걸의원 대표발의, 발의연월일 2014. 9. 30.

NCS 시작하기(1일 완성), 2019, 한국기술교육대학교. 능력개발교육원.

NCS기반 과정평가형 자격 이해 및 활용, 2019, 한국기술교육대학교. 능력개발교육원

국가직무능력표준(NCS)기반 훈련과정 평가실무, 2019, 한국기술교육대학교. 능력개발교육원.

김창영(2017), 손해사정사 시험제도 개선에 관한 연구, 목원대학교, 석사학위논문

김명규・이정호, 손해사정사 보수기준 개선방안, 손해사정학회, 손해사정연구 4(1), 2012.

임동섭, 손사보조인의 직무탈진감이 고객지향성, 직무만족 및 이직의도에 미치는 영향, 손해사정학회, 손해사정연구 5(1), 2013.

김현록, 손해사정사 자격 및 시험제도 개선을 위한 제언-통합 손해사정사를 중심으로-, 손해사정학회, 손해사정연구 7(1), 2015.

임동섭, 국가직무능력표준(NCS)과 손해사정, 손해사정학회, 손해사정연구 7(1), 2015.

유재두・김명규, 보험조사분석사 자격제도의 문제점과 개선방안, 손해사정학회, 손해사정연구 8(2), 2016.

김창영・김명규, 손해사정사 시험제도 개선에 관한 연구, 손해사정학회, 손해사정연구 10(1), 2018.

최유정・김진형, 손해사정사의 업무범위 확장에 관한 연구-합의 및 분쟁의 조정 대리권을 중심으로-, 손해사정학회, 손해사정연구 11(1), 2019.

신영순(2003), 인(손.생보 겸영)보험에서의 보험사기 예방에 따른 조사자의 역할 및 지위 향상에 관한 연구,보험연수원 소논문 공모 당선작.

법무사 보수표, 2018. 8. 10 시행. 대한법무사협회 자료.

부동산 중개보수 요율표(서울특별시 기준), 한국공인중개사협회 자료.

변호사 보수 기준표, 지금 만나러 갑니다. 네이버 블로그 자료.

대한손해사정법인협회, FY2019년 손해사정 보수료 인상요청 자료.

고용정보원, 2019 한국직업전망(2018).

저자 신영순

교원(중등2급 정교사)

1종(기존-화재・특종) 손해사정사

NCS직업능력개발훈련교사(재무, 보험・손해사정)

충북대학교 경영학 학사

성균관대학교 경영학 석사

메리츠화재해상보험㈜ 근무

서울손해사정㈜ 근무

KIG화재특종자동차손해사정㈜ 근무

KILA손해사정사무소 대표

1999년 손해ㆍ생명ㆍ공제회사 제3보험분야 손해사정위탁업무 최초 개시

2003년 선임손해사정사 보수기준 '인보험 보수표' 제안・제정

2003년 손해사정사 시험제도 개정안 제안(재정경제부, 한국손해사정사회)

2019년 한국보험학회 정책세미나 '손해사정제도 개선방안' 공동논문중 '손해사정사 시험제도 및 보수기준 개정' 부문 연구

(전)보험연수원 및 배화여자대학교 무역과 강사

(전)한국손해사정사회소속 1,2종 독립손해사정업협의회 부회장

(전)보험신보 기자

(전)고용노동부 고용노동혁신(일터안전) 국민자문단

(전)한국산업인력공단 NCS홈닥터(재물손해사정)

(전)한국산업인력공단 NCS(손해사정) 환경분석정비 산업현장전문가

(현)서울시교육청 서울교육시민참여단

<저서>

보험요론(I)

보험요론(II)

화재보험 약관내용

특종보험 약관내용

화재·특종보험 특별약관내용

상해보험 후유장해 산정기준

손해사정과 손해사정사 제도

내 보험 워크북

손해사정사 2차 시험 기출문제

손해사정서 양식과 해설

세계의 손해사정사 제도

손해사정사 시험 제도와 보수 개선방안

발 행 | 2023년 11월 27일
저 자 | 신 영 순
펴낸이 | 한건희
펴낸곳 | 주식회사 부크크
출판사등록 | 2014.07.15(제2014-16호)
주 소 | 서울특별시 금천구 가산디지털1로 119 SK트윈타워 A동 305호
전 화 | 1670-8316
이메일 | info@bookk.co.kr

ISBN | 979-11-410-5516-5

www.bookk.co.kr